Couverture : Domenico Ghirlandaio, « Portrait d'un vieillard et d'un jeune garçon » (détail)

© 1992, l'école des loisirs, Paris
Loi numéro 49 956 du 16 juillet 1949 sur les publications
destinées à la jeunesse : septembre 1992
Dépôt légal : août 2000
Imprimé en France par Jean Lamour à Maxéville

PETIT MUSÉE

images choisies par
Alain Le Saux
et
Grégoire Solotareff

l'école des loisirs
11, rue de Sèvres, Paris 6e

un aigle

Katsushika Hokusai (1760-1849)
« Aigle sur un rocher dans le blizzard » (détail), 1847, Pacific Asia Museum, Pasadena, Californie.

un âne

Giovanni Bellini (vers 1430-1516)
« Saint François en extase » (détail), vers 1480, Frick Collection, New York.

un arbre

Claude Monet (1840-1926)
« Vue sur la mer à Trouville » (détail), 1881, Museum of Fine Arts, Boston.

un archer

Lucas Cranach (1472-1553)
« Diane et Apollon » (détail), collection royale de la reine d'Angleterre.

14

des asperges

des assiettes

Bartolomé Murillo (1618-1682)
« La cuisine des anges » (détail), 1646, Musée du Louvre, Paris.

18

des autoroutes

Wayne Thiebaud (né en 1920)
« Urban Freeways » (détail), 1981, Allan Stone Gallery.

une bagarre

une bague

École de Fontainebleau (fin 16e siècle)
« Gabrielle d'Estrées et l'une de ses sœurs » (détail), vers 1595, Musée du Louvre, Paris.

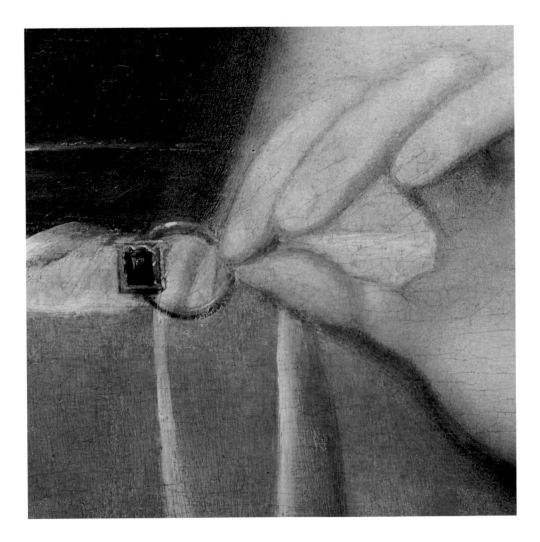

un bain

Honoré Daumier (1808-1879)
« Les enfants au bain » (détail), 1856, collection Oskar Reinhart, Suisse.

un baiser

Jean Hey (fin 15e - début 16e siècle)
« Charlemagne et la rencontre de saint Joachim et Anne à la Porte d'or » (détail), 1500, collection privée.

un ballon

Charles Meere (1890-1961)
« Australian Beach Pattern », 1940, Art Gallery, Nouvelle-Galles du Sud (Australie).

des bananes

Giorgio de Chirico (1888-1978)
« L'incertitude du poète » (détail), 1913, collection Roland Penrose, Londres, © SPADEM 1992.

une barbe

Albrecht Dürer (1471-1528)
« Portrait de Hieronymus Holzschuber » (détail), 1526, Gemäldegalerie, Berlin.

une barque

Claude Lorrain (1600-1682)
« Ulysse remet Chryséis à son père » (détail), vers 1650, Musée du Louvre, Paris.

36

une barrière

Claude Monet (1840-1926)
« La pie » (détail), 1869, Musée d'Orsay, Paris.

une bataille

Jan Bruegel dit de Velours (1568-1625)
« La bataille d'Issus » (détail), 1602, Musée du Louvre, Paris.

40

un bateau à voiles

un bébé

Geòrges de La Tour (1593-1652)
« Le nouveau-né » (détail), 1646, Musée des Beaux-Arts, Rennes.

44

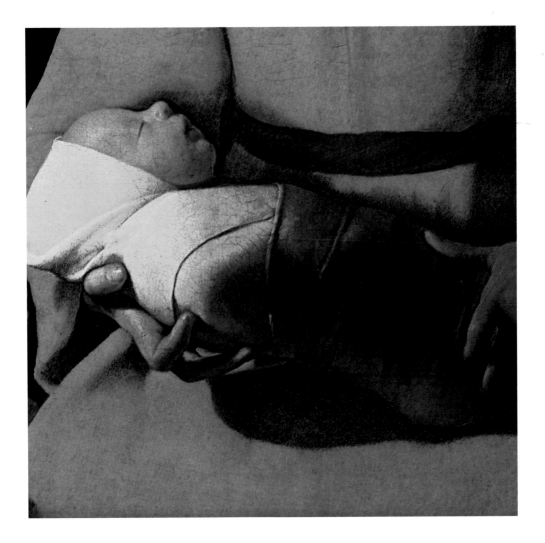

un billard

46

un bœuf

Pieter Bruegel (vers 1525-1569)
« Le retour du troupeau » (détail), 1565, Kunsthistorisches Museum, Vienne.

une botte

un bouc

une bouche

une boucle d'oreille

École de Fontainebleau (fin 16e siècle)
« Gabrielle d'Estrées et l'une de ses sœurs » (détail), vers 1595, Musée du Louvre, Paris.

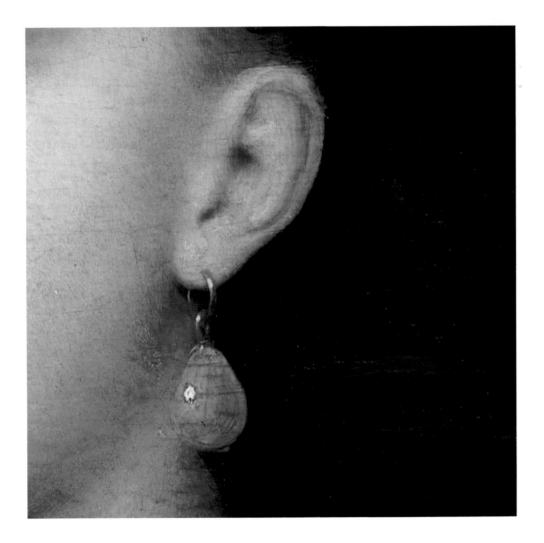

un bouquet
de fleurs

une bouteille

Giorgio Morandi (1890-1964)
« Nature morte » (détail), 1920, Musée Morandi, Bologne.

un bouton

Domenico Gnoli (1933-1970)
« Bouton » (détail), 1967, Hamburger Kunsthalle, Hambourg.

62

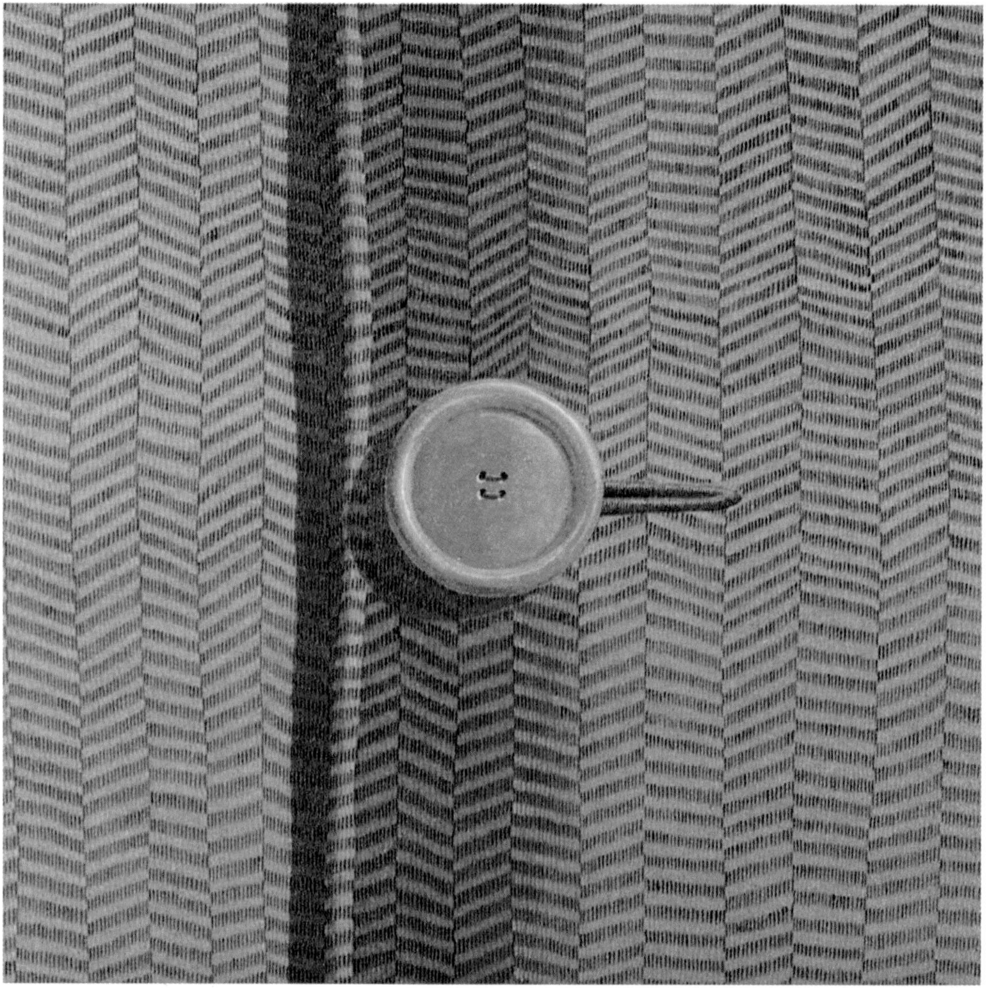

des branches

Vincent Van Gogh (1853-1890)
« Branches d'amandier en fleurs » (détail), 1890, Musée Van Gogh, Amsterdam.

un bras

66

des bûcherons

Jean-François Millet (1814-1875)
« Les scieurs de bois » (détail), 1848, Victoria and Albert Museum, Ionidès Collection, Londres.

un canoë

Frédéric Remington (1861-1909)
« Un soir sur un lac canadien » (détail), 1905, collection Manvogian.

70

des cartes

Georges de La Tour, (1593-1652)
« Le tricheur à l'as de carreau » (détail), Musée du Louvre, Paris.

un casque

Pieter Bruegel (vers 1525-1569)
« La chute des anges rebelles » (détail), 1562, Musées royaux des Beaux-Arts, Bruxelles.

des cavaliers

Théodore Géricault (1791-1824)
« Courses de chevaux », dit « Le Derby de 1821 à Epsom » (détail), Musée du Louvre, Paris.

des cerfs

des cerises

Louise Moillon (1610-1696)
« Coupe de cerises » (détail), Musée du Louvre, Paris.

une chaise

Félix Vallotton (1865-1925)
« Intérieur, jeune fille couchée, une autre portant un plateau » (détail), 1892, Suisse.

un champ de blé

Vincent Van Gogh (1853-1890)
« Haie de blé avec des coquelicots et une alouette » (détail), 1887, Musée Van Gogh, Amsterdam.

84

un chapeau

James Ensor (1860-1949)
« L'intrigue » (détail), 1890, Musée royal des Beaux-Arts, Anvers.

une charrette

Henri Rousseau (1844-1910)
« La charrette du père Juniet » (détail), 1908, collection Walter-Guillaume, Musée de l'Orangerie, Paris.

un chat

Lorenzo Lotto (1480-1556)
« Annonciation » (détail), vers 1527, Pinacothèque communale, Recanati (Italie).

des chaussures

Vincent Van Gogh (1853-1890)
« Paire de vieilles chaussures » (détail), 1888, collection privée, États-Unis.

un cheval

Georges Stubbs (1724-1806)
« Un cheval gris » (détail), 1793, Tate Gallery, Londres.

des cheveux

Pierre Paul Rubens (1577-1640)
« Enfant avec un oiseau » (détail), 1624, Gemäldegalerie, Berlin.

un chien

Vittore Carpaccio (vers 1455 - vers 1525)
« Saint Jérôme dans sa cellule » (détail), 1502, Scuola degli Schiavoni, Venise.

un chou rouge

une chouette

Jérôme Bosch (vers 1450-1516)
Le triptyque du « Jardin des délices » (détail), 1510, Musée du Prado, Madrid.

un ciel

John Constable (1776-1837)
« Nuages » (détail), 1822, National Gallery of Victoria, Melbourne.

des ciseaux

Antonio da Crevalcore (fin 15e, début 16e siècle)
« Saint Paul » (détail), 1490, collection privée, Londres.

des citrons

108

des clés

un coq

Georges de La Tour (1593-1652)
« Les larmes de saint Pierre » dit aussi « Saint Pierre repentant » (détail), 1645,
The Cleveland Museum of Art, Cleveland, Ohio (E.-U.).

un coquillage

Harmen Van Steenwyck (1612-1656)
« Nature morte aux vanités » (détail), 1640, National Gallery, Londres.

114

un corbeau

Diego Velázquez (1599-1660)
« Saint Antoine et saint Paul » (détail), vers 1633, Musée du Prado, Madrid.

une cruche

un cycliste

des dindons

Claude Monet (1840-1926)
« Les dindons » : château de Rottembourg, à Montgeron (détail), 1877, Musée d'Orsay, Paris.

122

un doigt

Denijs Calvaert (vers 1545-1619)
« Sainte famille avec saint Jean-Baptiste » (détail), 16ᵉ siècle, collection privée.

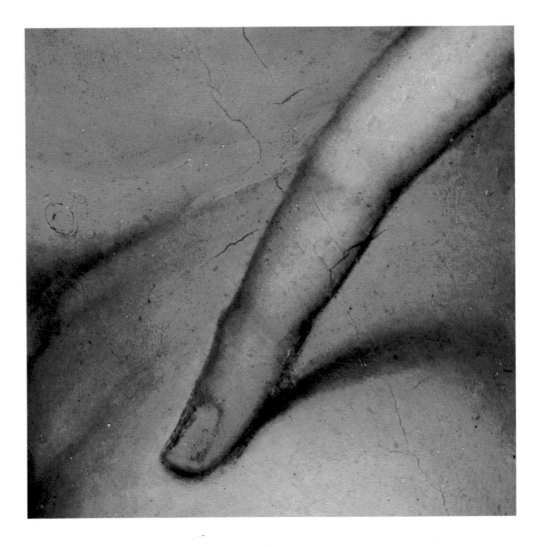

un dos

Diego Velázquez (1599-1660)
« Vénus au miroir » (détail), vers 1644-1648, National Gallery, Londres.

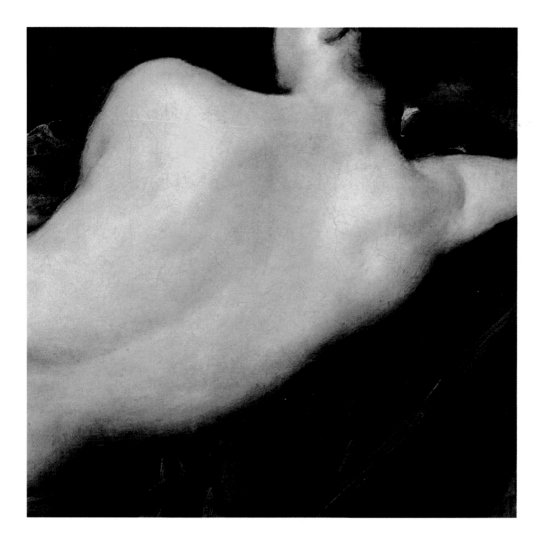

un écureuil

Joseph Decker (1853-?)
« Écureuil » (détail), 1880, collection privée.

un éléphant

Félix Philibert Ziem (1821-1911)
« L'éléphant » (détail), Musée du Petit Palais, Paris.

130

un escalier

Nicolas d'Ypres
(connu en 1495 en Avignon, mort probablement en 1531)
« Présentation de la Vierge au temple » (détail), vers 1500, Musée du Louvre, Paris.

132

un feu

Pieter Bruegel (vers 1525-1569)
« Les chasseurs dans la neige » (détail), 1565, Kunsthistorisches Museum, Vienne, © E. Lessing/Magnum.

des figures

des flammes

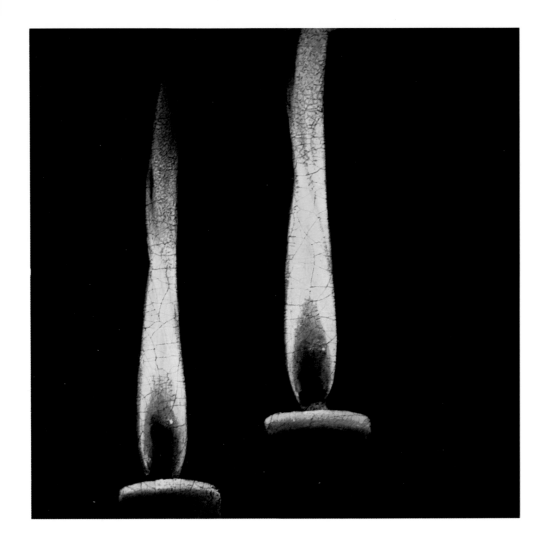

une fleur

Jacob Marrel (1614-1681)
« Vase de fleurs » (détail), 1635-1640, collection privée.

140

une fraise

Jérôme Bosch (vers 1450-1516)
Le triptyque du « Jardin des délices » (détail), 1510, Musée du Prado, Madrid.

des fromages

des gâteaux

une girafe

Jacques-Laurent Agasse (1767-1849)
« La girafe nubienne » (détail), 1827, collection de la reine d'Angleterre.

148

une grappe de raisins

Mattheus Wytmans (1630-1689)
« Nature morte aux fruits » (détail), The Baltimore Museum of Art, Baltimore, Maryland (E.-U.).

un homard

Michiel Simons (mort en 1673)
« Somptueuse nature morte sur tissu bleu » (détail), 1667, collection privée.

un Indien

Georges Catlin (1796-1872)
« Nuage Blanc, chef des Iowas » (détail), National Gallery of Art, collection Paul Mellon, Washington.

154

des jambes

un jardinier

le jeu de saute-mouton

un joueur de flûte

un lama

un lapin

Andrea Mantegna (1431-1506)
« Le Parnasse » (détail), vers 1490, Musée du Louvre, Paris.

des léopards

Théodore Géricault (1791-1824)
« Les tigres » (détail), Musée des Beaux-Arts, Rouen.

des lions

Jacques-Laurent Agasse (1767-1849)
« Deux lions » (détail), 1808, collection prince M.

un livre

Rogier Van Der Weyden (vers 1400-1464)
« L'annonciation » (détail), vers 1450, Musée du Louvre, Paris.

172

la lune

Vincent Van Gogh (1853-1890)
« La nuit étoilée » (détail), 1889, Musée d'Art moderne, New York.

une main

Domenico Ghirlandaio (1449-1494)
« Portrait d'un vieillard et d'un jeune garçon » (détail), vers 1490, Musée du Louvre, Paris.

une maison

une marchande
de poisson

un martin-pêcheur

un menton

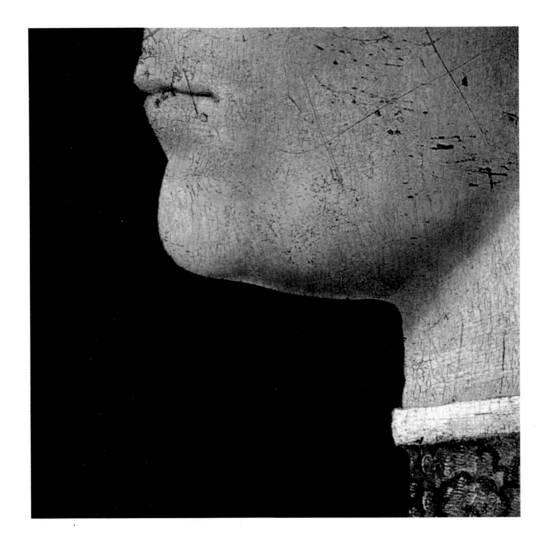

la mer

Eugène Delacroix (1798-1863)
« La mer vue des hauteurs de Dieppe » (détail), 1852, Musée du Louvre, Paris, © Bulloz.

un miroir

un monstre

Johann-Heinrich Füssli (1741-1825)
« Le cauchemar » (détail), 1781, The Detroit Institute of Arts, Detroit, Michigan (E.-U.).

190

une montgolfière

Francisco Goya (1746-1828)
« Le ballon aérostatique » (détail), 1813, Musée d'Agen.

192

des nénuphars

Claude Monet (1840-1926)
« Nymphéas » (détail), 1897, Los Angeles County Museum of Art, Los Angeles.

un nez

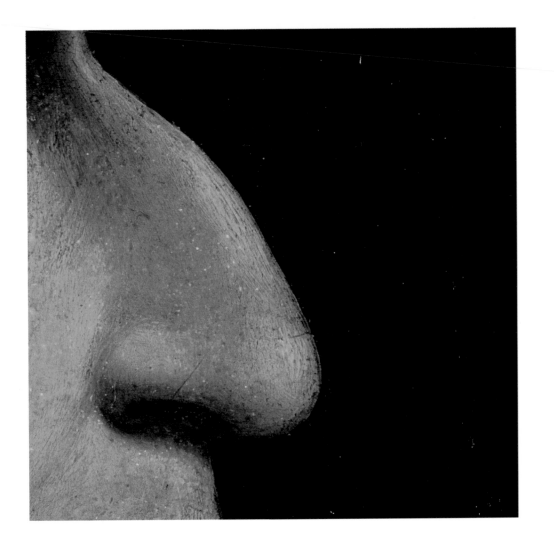

un œil

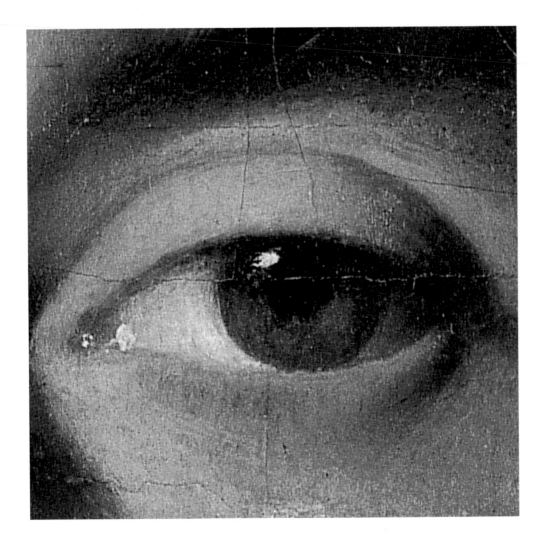

des œufs

H. Delaporte (18e siècle)
« Nature morte aux œufs, pommes et châtaignes » (détail), 1788, Musée du Louvre, Paris.

200

un oiseau

une oreille

Jean Auguste Dominique Ingres (1780-1867)
« L'Odyssée » (détail), 1850, Musée des Beaux-Arts, Lyon.

204

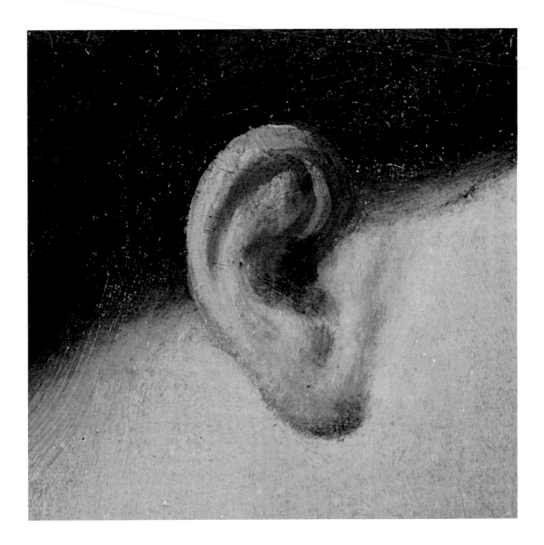

un pain

Pieter Claesz (1597-1661)
« Nature morte avec tarte et aiguière à décorations bleues » (détail), 1623-1625, collection privée.

un papillon

une pastèque

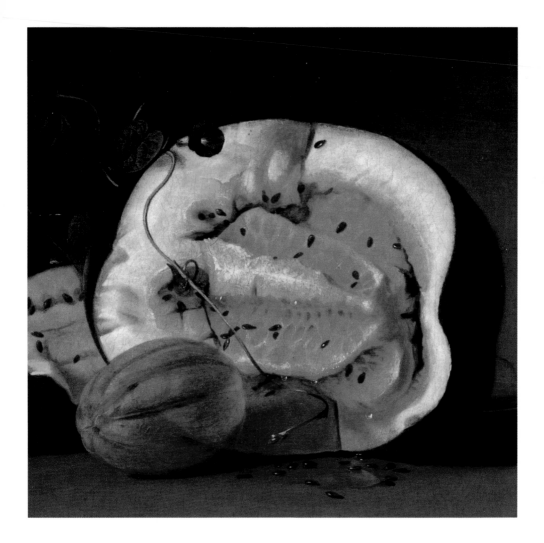

des pattes

Piero della Francesca (vers 1416 - vers 1492)
« Bataille de Constantin de Maxence » (détail), 1452, fresques de San Francesco d'Arezzo, Toscane.

212

des pêches

un peigne

un peintre

James Ensor (1860-1949)
Autoportrait dit « Grosse Tête » (détail), 1879, collection particulière.

une petite fille

un petit garçon

un phare

Edward Hopper (1882-1967)
« Lighthouse at two lights » (détail), 1929, Metropolitan Museum of Art, New York.

un pied

Cimabue (fin 13e siècle)
« La Vierge et l'Enfant en majesté entourés de six anges » (détail), Musée du Louvre, Paris.

226

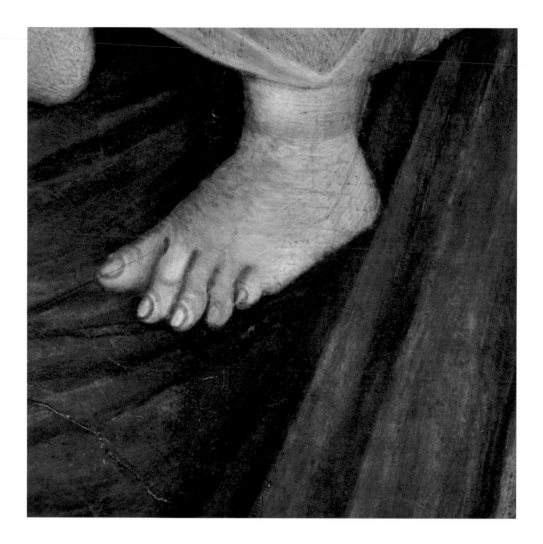

un pigeon

une pipe

Vincent Van Gogh (1853-1890)
« Autoportrait » (détail), 1889, collection privée.

un pique-nique

une plage

des plumes

Abraham Mignon (fin 17ᵉ siècle)
« Coq mort et gibier » (détail), 1670, collection privée.

une poire

des poissons

Georges Braque (1882-1963)
« Les deux poissons noirs » (détail), vers 1940, Musée national d'Art moderne,
Centre Georges Pompidou, Paris, © Bulloz.

une poitrine

École de Fontainebleau (fin 16e siècle)
« Gabrielle d'Estrées et l'une de ses sœurs » (détail), vers 1595, Musée du Louvre, Paris.

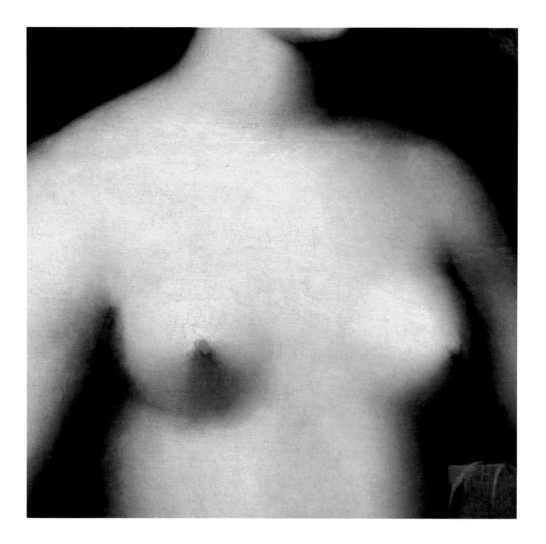

des pommes

Floris Claesz Van Dyck (1575-1651)
« Somptueuse table avec fromages et fruits » (détail), 1613, Frans Hals Museum, Haarlem.

244

des pommes de terre

un pont

Félix Vallotton (1865-1925)
« Le ponte Mollo, Rome » (détail), 1913, Suisse.

un porc-épic

Jérôme Bosch (vers 1450-1516)
Le triptyque du « Jardin des délices » (détail), 1510, Musée du Prado, Madrid.

une poule

Grant Wood (1891-1942)
« La poule » (détail), 1931, collection privée.

un promeneur

Claude Monet (1840-1926)
« Sentier à l'abri » (détail), 1873, Philadelphia Museum of Art, Philadelphie (E.-U.).

des prunes

Pierre Dupois (1610-1682)
« Prunes, melons et pêches sur un entablement de marbre » (détail), Musée du Louvre, Paris.

une queue

Ferdinand Khnopff (1858-1921)
« L'art (les caresses, la sphinge) » (détail), 1896, Musées royaux des Beaux-Arts de Belgique, Bruxelles.

une raie

James Ensor (1860-1949)
« La raie » (détail), 1892, Musées royaux des Beaux-Arts de Belgique, Bruxelles.

un revolver

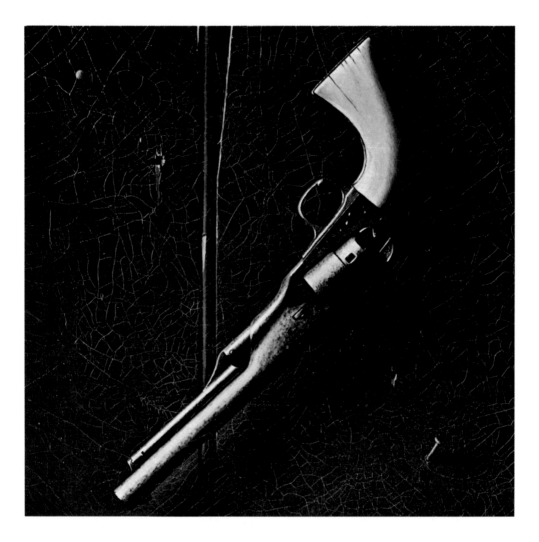

des rochers

Claude Monet (1840-1926)
« Les pyramides de Port-Coton, Belle-Ile en mer » (détail), 1886, Ny Carlsberg Glyptotek, Copenhague.

une ronde

266

une route

F. VALLOTTON. 12

un saxophoniste

des soldats

Georges Stubbs (1724-1806)
« Soldats du 10e dragon léger » (détail), 1793, Tate Gallery, Londres.

le soleil

une souris

Georg Flyel (fin 16e - début 17e siècle)
« Nature morte avec souris et perroquet » (détail), 1610-1620, Alte Pinakothek, Munich.

276

une table

un téton

École de Fontainebleau (fin 16e siècle)
« Gabrielle d'Estrées et l'une de ses sœurs » (détail), vers 1595, Musée du Louvre, Paris.

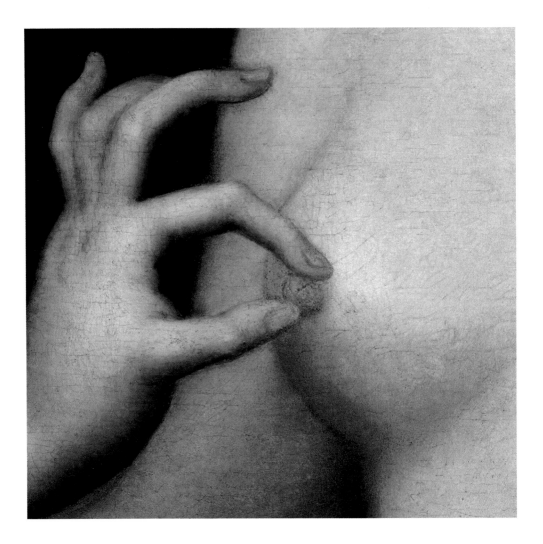

un tigre

Eugène Delacroix (1798-1863)
« Jeune tigre jouant avec sa mère » (détail), Musée du Louvre, Paris.

une tour

Giorgio de Chirico (1888-1978)
« Tour rouge » (détail), 1913, Fondation Peggy Guggenheim, Venise, © SPADEM 1992.

des tranches
de saumon

Francisco Goya (1746-1828)
« Nature morte au saumon » (détail), 1808, collection Oskar Reinhart, Suisse.

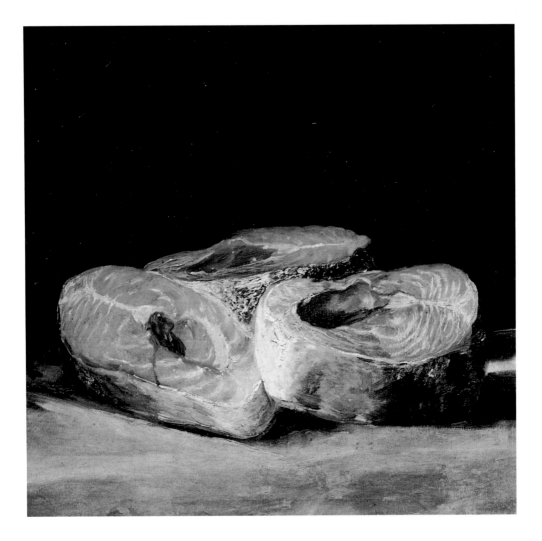

un tunnel

Edward Hopper (1882-1967)
« Approaching a city » (détail), 1946, The Phillips Collection, Washington, D.C.

une vague

une valise

un verre

Joos Van Cleve (fin 15e siècle-1540)
« La déploration du Christ » (détail), vers 1520, Musée du Louvre, Paris.

de la viande

un visage

Piero della Francesca (vers 1416 - vers 1492)
« Exaltation de la Sainte Croix » (détail), 1452, fresques de San Francesco d'Arezzo, Toscane.

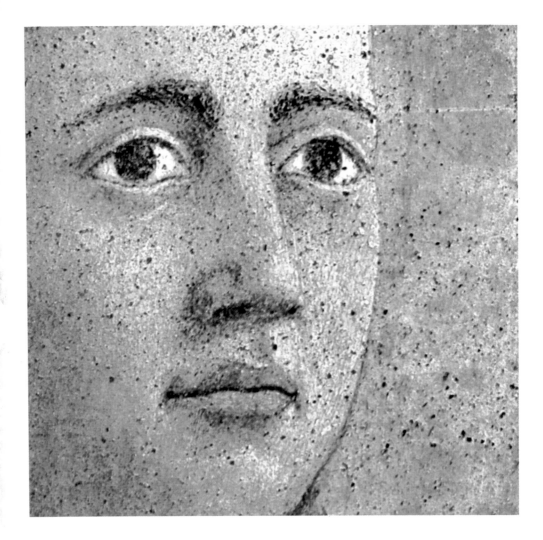

une voiture

Edward Hopper (1882-1967)
« Portrait of Orleans » (détail), 1950, The Rayellif Collection.

un volcan

Pierre-Jacques Volaire (1729-1802)
« Éruption du Vésuve en 1737 et vue de Portici » (détail), 1780, Musée des Beaux-Arts, Nantes.

un zèbre

Index des peintres

Agasse, Jacques-Laurent : peintre suisse (1767-1849), girafe p. 148, lama p. 164, lions p. 170, zèbre p. 304

Bartolomeo, Fra : peintre italien (15ᵉ-16ᵉ siècle), nez p. 196

Bellini, Giovanni : peintre italien (vers 1430-1516), âne p. 10

Beyeren, Abraham Van (voir Van Beyeren)

Bosch, Jérôme : peintre hollandais (vers 1450-1516), chouette p. 102, fraise p. 142, oiseau p. 202, porc-épic p. 250

Borgeaud, Marius : peintre suisse (1861-1924), table p. 278

Braque, Georges : peintre français (1882-1963), poissons p. 240

Bruegel, Jan, dit de Velours : peintre flamand (1568-1625), bataille p. 40

Bruegel, Pieter : peintre flamand (vers 1525-1569), bœuf p. 48, casque p. 74, feu p. 134, jeu de saute-mouton p. 160, marchande de poisson p. 180, ronde p. 266

Calvaert, Denijs : peintre flamand (vers 1545-1619), doigt p. 124

Carpaccio, Vittore : peintre italien (vers 1455-vers 1525), chien p. 98

Catlin, Georges : peintre américain (1796-1872), indien p. 154

Cézanne, Paul : peintre français (1839-1906), maison p. 178

Chardin, Jean-Baptiste Siméon : peintre français (1699-1779), pêches p. 214

Chirico, Giorgio de : peintre italien (1888-1978), bananes p. 32, tour p. 284

Cimabue : peintre italien (fin 13ᵉ siècle), pied p. 226

Claesz, Pieter : peintre hollandais (1597-1661), pain p. 206

Cleve, Joos Van (voir Van Cleve)

Constable, John : peintre anglais (1776-1837), ciel p. 104

Courbet, Gustave : peintre français (1819-1877), vague p. 290

Cranach, Lucas : peintre allemand (1472-1553), archer p. 14, cerfs p. 78

Crevalcore, Antonio de : peintre italien (fin 15ᵉ - début 16ᵉ siècle), ciseaux p. 106

Daumier, Honoré : dessinateur et peintre français (1808-1879), bagarre p. 22, bain p. 26

Decker, Joseph : peintre allemand (né en 1853), écureuil p. 128

Delacroix, Eugène : peintre français (1798-1863), mer p. 186, tigre p. 282

Delaporte, H. : peintre français (18ᵉ siècle), œufs p. 200

Dix, Otto : peintre allemand (1891-1969), saxophoniste p. 270

Dyck, Floris Van (voir Van Dyck)

Dupois, Pierre : peintre français (1610-1682), prunes p. 256

Dürer, Albrecht : dessinateur et peintre allemand (1471-1528), barbe p. 34

École de Fontainebleau : groupe de peintres italiens, français et flamands (fin 16e siècle), bague p. 24, boucle d'oreille p. 56, poitrine p. 242, téton p. 280

Ensor, James : peintre belge (1860-1949), bouche p. 54, chapeau p. 86, chou rouge p. 100, peintre p. 218, raie p. 260

Flyel, Georg : peintre allemand ? (fin 16e-début 17e siècle), souris p. 276

Füssli, Johann Heinrich : peintre suisse (1741-1825), monstre p. 190

Géricault, Théodore : peintre français (1791-1824), cavaliers p. 76, léopards p. 168

Ghirlandaio, Domenico : peintre italien (1449-1494), main p. 176, petit garçon p. 222

Gnoli, Domenico : peintre italien (1933-1970), bouton p. 62

Gogh, Vincent (voir Van Gogh)

Goya, Francisco : peintre espagnol (1746-1828), montgolfière p. 192, tranches de saumon p. 286, viande p. 296

Harnett, William M. : peintre américain (1848-1892), revolver p. 262

Hey, Jean : peintre français (fin 15e - début 16e siècle), baiser p. 28, clés p. 110

Hokusai, Katsushika : dessinateur et peintre japonais (1760-1849), aigle p. 8

Hopper, Edward : peintre américain (1882-1967), phare p. 224, tunnel p. 288, voiture p. 300

Hunt, William Holman : peintre anglais (1827-1910), bouc p. 52

Ingres, Jean Auguste Dominique : peintre français (1780-1867), œil p. 198, oreille p. 204

Khnopff, Ferdinand : peintre belge (1858-1921), queue p. 258

La Tour, Georges de : peintre français (1593-1652), bébé p. 44, cartes p. 72, coq p. 112, flammes p. 138

Le Nain : groupe de peintres français (17e siècle), joueur de flûte p. 162

Lorrain, Claude : peintre français (1600-1682), barque p. 36

Lotto, Lorenzo : peintre italien (1480-1556), chat p. 90

Magritte, René : peintre belge (1898-1967), cycliste p. 120, peigne p. 216, valise p. 292

Manet, Édouard : peintre français (1832-1883), asperges p. 16

Mantegna, Andrea : peintre italien (1431-1506), lapin p. 166

Marrel, Jacob : peintre hollandais (1614-1681), fleur p. 140

Meere, Charles: (1890-1961),
ballon p.30

Meléndez, Luis Eugenio: peintre espagnol
(1716-1780), figues p. 136

Mignon, Abraham: peintre français (fin 17^e
siècle), plumes p. 236

Millet, Jean-François: peintre français (1814-
1875), bûcherons p. 68, jardinier p. 158, poire
p. 238

Moillon, Louise: peintre français (1610-1696),
cerises p. 80

Monet, Claude: peintre français (1840-1926),
arbre p. 12, barrière p. 38, bateau p. 42,
dindons p. 122, nénuphars p. 194, promeneur
p. 254, rochers p. 264

Morandi, Giorgio: peintre italien (1890-1964),
bouteille p. 60

Murillo, Bartolomé: peintre espagnol (1618-
1682), assiettes p. 18

Peale, Raphaëlle: peintre américain (1774-
1825), pastèque p. 210

Picasso, Pablo: peintre espagnol (1881-1973),
bras p. 66, pigeon p. 228

Piero della Francesca: peintre italien (vers
1416-vers 1492), menton p. 184, pattes p. 212,
visage p. 298

Procter, Dod: peintre anglais (1892-1972),
jambes p. 156

Régnier, Nicolas: peintre français (1591-1667),
miroir p. 188

Remington, Frédéric: peintre américain
(1861-1909), canoë p. 70

Renoir, Auguste: peintre français (1841-1919),
petite fille p. 220

Rousseau, Henri: peintre français (1844-1910),
charrette p. 88

Rubens, Pierre Paul: peintre flamand (1577-
1640), cheveux p. 96

Seghers, Daniel: peintre hollandais (1590-
1661), bouquet de fleurs p. 58

Shiam: peintre de l'époque moghole (17^e
siècle), papillon p. 208

Simons, Michiel: peintre flamand (mort en
1673), homard p. 152

Steenwyck, Van (voir Van Steenwyck)

Stubbs, Georges: peintre anglais (1724-1806),
cheval p. 94, soldats p. 272

Szinnyei Merse, Pal: peintre hongrois (fin 19e-
début 20e siècle), pique-nique p. 232

Thiebaud, Wayne: peintre américain (né en
1920), autoroutes p. 20, gâteaux p. 146

Vallotton, Félix: peintre français (1865-1925),
chaise p. 82, plage p. 234, pont p. 248, route
p. 268

Van Beyeren, Abraham: peintre hollandais
(vers 1620-1690), citrons p. 108

Van Cleve, Joos: peintre flamand (fin 15e-
1540), verre p. 294

Van Der Weyden, Rogier: peintre flamand
(vers 1400-1464), livre p. 172

Van Dyck, Floris Claesz : peintre hollandais (1575-1651), fromages p. 144, pommes p. 244

Van Gogh, Vincent : peintre hollandais (1853-1890), billard p. 46, branches p. 64, champ de blé p. 84, chaussures p. 92, lune p. 174, martin-pêcheur p. 182, pipe p. 230, pommes de terre p. 246, soleil p. 274

Van Steenwyck, Harmen : peintre hollandais (1612-1656), coquillage p. 114

Velázquez, Diego : peintre espagnol (1599-1660), botte p. 50, corbeau p. 116, cruche p. 118, dos p. 126

Volaire, Pierre-Jacques : peintre français (1729-1802), volcan p. 302

Weyden, Rogier Van Der (Voir Van Der Weyden)

Wood, Grant : peintre américain (1891-1942), poule p. 252

Wytmans, Mattheus (1630-1689), grappe de raisins p. 150

Ypres, Nicolas d' : peintre flamand (mort en 1531), escalier p. 132

Ziem, Félix Philibert : peintre français (1821-1911), éléphant p. 130